# Le livre de recettes de la machine à pain

50 recettes simples pour les débutants pour faire du pain et des petits pains maison

Jennifer **Gautier**

Tous les droits sont réservés.

Avertissement

# TABLE DES MATIÈRES

# INTRODUCTION

Le pain est un aliment traditionnel et bien connu qui existait sous nos latitudes bien avant les pommes de terre, le riz ou les pâtes. Puisque le pain fournit non seulement de l'énergie, mais aussi des vitamines, des minéraux et des oligo-éléments, le produit est prédestiné comme base d'un régime.

Le pain comme base de régime Le pain comme base de régime

Le régime du pain a été développé en 1976 à l'Université de Giessen. Depuis lors, un certain nombre de modifications ont été apportées, mais elles ne diffèrent les unes des autres que par des nuances. La base de l'alimentation du pain est le pain alimentaire riche en glucides.

Le pain est fabriqué à partir de céréales, de sorte que le pain peut différer selon le type et le traitement du grain. Les produits à forte teneur en grains entiers sont préférés dans le régime du pain. Ces pains se caractérisent par une teneur élevée en oligo-éléments et en minéraux, ils contiennent également des fibres. Le pain blanc fortement transformé n'est pas interdit dans le régime du pain, mais ne doit être consommé qu'en petites quantités.

## COMMENT FONCTIONNE LE RÉGIME PAIN

Le régime du pain est essentiellement un régime qui fonctionne en réduisant l'apport calorique. La quantité totale d'énergie pour la journée est réduite à 1200 à 1400 calories dans le régime du pain. À l'exception d'un petit repas chaud à base de produits céréaliers, ces calories ne sont fournies que sous forme de pain.

Il n'est pas nécessaire que ce soit de la viande sèche, du fromage blanc faible en gras avec des herbes ou des lanières de légumes. Il n'y a pratiquement pas de limites à l'imagination, ce qui explique le grand nombre de recettes pour le régime du pain. Les boissons comprises dans le régime du pain comprennent de l'eau et du thé sans sucre. De plus, une boisson au pain est prise avant chaque repas pour faciliter la digestion et stimuler le système immunitaire.

## AVANTAGES DU RÉGIME PAIN

À moins que l'auto-tromperie ne soit commise lors du placement des sandwichs, l'un des avantages du régime à base de pain, comme avec la plupart des régimes hypocaloriques, est un succès rapide. Mais le régime pain présente d'autres avantages réels par rapport aux autres régimes. Le régime alimentaire peut être conçu pour être très équilibré afin qu'aucun symptôme de carence ne soit attendu.

En principe, un régime à base de pain peut donc même être réalisé sur une longue période de temps sans qu'aucun effet néfaste sur la santé ne soit attendu. Un autre avantage est la facilité avec laquelle le régime peut être effectué. La plupart des repas sont froids et peuvent être préparés. En conséquence, même une personne qui travaille peut facilement suivre son régime en mangeant le pain qu'elle a apporté avec elle au lieu de manger à la cantine.

## INCONVÉNIENTS DU RÉGIME PAIN

Le régime pain ne présente pas d'inconvénients particuliers résultant de sa composition. Cependant, si le régime pain n'est effectué que temporairement, puis revient au mode de vie précédent, l'effet yo-yo redouté se produit également avec le régime pain. Pendant la phase de faim pendant le régime, le taux métabolique de base du corps a diminué.

Après la fin du régime, la prise de poids se produit donc rapidement et généralement à un niveau plus élevé qu'avant le début du régime.

# PAIN SANS FARINE

Portions: 1

## INGRÉDIENTS

- 290 grammes  gruau
- 270 grammes  Graines de tournesol
- 180 grammes  graine de lin
- 65 grammes    sésame
- 65 grammes    Graines de citrouille
- 4 cuillères à café      Graines de chia
- 8 cuillères à soupe    Coques de psyllium
- 2 cuillères à café      sel de mer
- 2 cuillères à soupe    Sirop d'agave
- 6 cuillères à soupe    huile
- 700 ml Eau (chaude

## PRÉPARATION

Tous les ingrédients secs sont broyés dans un mélangeur puis placés dans un bol. Ajoutez ensuite les ingrédients restants. Tout est maintenant correctement pétri avec un robot culinaire jusqu'à ce qu'une pâte se forme qui ne colle plus. Tapisser un moule à pain de 30 cm de long de papier sulfurisé. Ensuite, remplissez le "morceau" et pressez-le dans le moule à pain avec une cuillère.

La pâte vient directement au four à 175 ° C. Dès que le pain est doré dessus, sortez-le du moule à pain et retournez-le sur le papier sulfurisé. Le pain est cuit de cette manière. Le temps de cuisson total est d'environ 60 minutes. Si le pain est assez sombre et qu'il semble creux lorsque vous le touchez, c'est fait.

Conseil de Chefkoch.de: La teneur en cadmium des graines de lin étant relativement élevée, le Centre fédéral de la nutrition recommande de ne pas consommer plus de 20 g de graines de lin par jour. La consommation quotidienne de pain doit être divisée en conséquence.

# PETIT PAIN NUTTY FAIBLE EN CARBES

Portions: 1

## INGRÉDIENTS

- 50 g de graines de tournesol
- 25 g de son de blé
- 25 g de farine de lin
- 25 g Bâtonnets d'amandes ou amandes hachées
- 50 g de graines de chia
- 50 g d'amandes moulues
- 250 g de fromage blanc faible en gras
- 1 cuillère à café, entassée    Levure chimique ou levure tartare
- Des œufs)
- protéine
- ½ cuillère à café, travaillé    sel

## PRÉPARATION

Mélangez les ingrédients secs ensemble, puis ajoutez progressivement les ingrédients restants et pétrissez bien pour former une pâte. Chauffez le four à 200 degrés. Laisser tremper la pâte dans le bol pendant environ 15 minutes, elle se solidifiera ensuite.

Façonnez une miche de pain, placez-la sur une plaque à pâtisserie tapissée de papier sulfurisé, couvrez de graines si nécessaire et appuyez dessus. Cuire la pâte pendant environ 40 minutes à 200 degrés.

Différents types de noix peuvent être utilisés selon votre goût. Le pain reste frais au réfrigérateur pendant au moins 1 semaine. Bien sûr, il a meilleur goût frais ou légèrement grillé.

# PAIN RAPIDE + DÉLICIEUX

Portions: 1

## INGRÉDIENTS

- 500 grammes  Farine de blé type 405
- 1 point Levure sèche
- 375 ml Eau (chaude
- 3 cuillères à soupe      yaourt
- 1 cuillère à café        sel
- ½ cuillère à café        du sucre
- 1 cuillère à café de poivre du moulin
- 1 cuillère à soupe       Ciboulette séchée
- 1 cuillère à soupe       Persil séché
- 1 cuillère à soupe       gruau

## PRÉPARATION

Mélangez la farine et la levure, ajoutez le sucre, le sel, le poivre, les flocons d'avoine, les herbes, le yaourt et l'eau et pétrissez le tout jusqu'à consistance lisse. Laisser lever 5 minutes, pétrir à nouveau brièvement.

Versez la pâte dans un moule à pain tapissé de papier sulfurisé et faites cuire au four non préchauffé à 200 ° C pendant environ 50 minutes. Au cours des 5 dernières minutes, sortez le pain de la poêle et faites-le cuire sur la grille, cela le rendra également croustillant par le bas.

Supi dîner uniquement avec du beurre ou une tartinade épicée!

# PAIN AUX GRAINES DE CITROUILLE DE STYRIEN À L'HUILE DE GRAINES DE

Portions: 1

## INGRÉDIENTS

- 450 grammes Farine d'épeautre
- 1 point Levure sèche
- 1 cuillère à café de sel
- 1 cuillère à café de mélange d'épices pour pain
- 2 cuillères à soupe Graines de citrouille, moulues
- 100g Graines de citrouille, entières
- 350 ml L'eau tiède
- 3 cuillères à soupe Huile de pépins de courge

## PRÉPARATION

Mélanger tous les ingrédients secs. Versez de l'eau et de l'huile de graines. Pétrir jusqu'à ce que la pâte se détache du bol. Laisser lever environ 30 minutes

Versez la pâte dans un moule à pain graissé saupoudré de graines de citrouille moulues. Laisser lever encore 30 minutes.

Badigeonner avec de l'eau. Mettez au four préchauffé à 220 degrés. Mettez un bol d'eau dans le four. Revenez à 180 degrés après 10 minutes. Et cuire au four pendant une heure au total.

Après le temps de cuisson, faites le «test de cliquetis», si le pain semble creux, il est cuit. Démouler, badigeonner le pain avec un mélange d'une cuillère à café d'huile de graines et une cuillère d'eau chaude et laisser refroidir.

# POMMES DE TERRE D'AUTOMNE

Portions: 1

## INGRÉDIENTS

- 250 g   Levain, (levain de seigle mature)
- 250 g   Farine, (farine de blé entier)
- 250 g   Farine de blé, type 1050
- 10 grammes   Levure, fraîche
- 500 ml Eau, tiède
- 330 grammes  Farine, (farine de seigle complète)
- 20 grammes   sel
- 1 cuillère à soupe      mon chéri
- 1 m. De large   Pomme (s) de terre, cuisson farineuse

- 100g   Noix, hachées grossièrement

## PRÉPARATION

Mélangez la farine de blé entier, la farine de blé, la levure et toute l'eau dans une pré-pâte (assez liquide et molle). Laisser reposer env. 2 heures à température ambiante.

Faites bouillir les pommes de terre, épluchez-les bien chaudes et écrasez-les avec un presse-purée (ou une presse). Laisser refroidir légèrement.

Faites une pâte à partir du levain, de la pré-pâte, de la farine de seigle, du sel, du miel et de la purée de pommes de terre. Pétrir enfin les noix.

La pâte est ferme mais très collante. N'ajoutez plus de farine!

Laisser reposer 30 minutes.

Pétrissez à nouveau la pâte, faites-la rondelle et placez-la dans un panier de fermentation fariné. Laisser lever environ 1 heure.

Préchauffer le four à 250 ° C (chaleur haut / bas).

Versez le pain dans le four chaud (de préférence sur une pierre de cuisson, mais une plaque de cuisson chaude est également possible).

Temps de cuisson: 15 minutes à 250 ° C ou jusqu'à ce que le bronzage souhaité soit

atteint. Cuisson: 45 minutes à 200-180 ° C, chute. Suffisamment de vapeur pour

les 15 premières minutes (environ 3 fois vigoureusement).

Je fais cela avec un pulvérisateur de fleurs (buse réglée sur le brouillard). Ouvrez simplement le four un peu, vaporisez vigoureusement (plusieurs fois) contre les parois du four (pas sur le pain) et refermez la porte du four. Répétez 2-3 fois.

À la fin du temps de cuisson, ouvrez brièvement la porte du four en grand et laissez la vapeur s'échapper. Cuire au four comme décrit.

# PAIN FAIBLE EN CARBES

Portions: 1

## INGRÉDIENTS

- 50 g de graines de tournesol
- 250 g de fromage blanc faible en gras
- 50 g de graines de lin écrasées
- 50 g de son de blé
- 50 g de farine de soja
- 1 cuillère à café          sel
- ½ paquet.       levure chimique
- 2 oeufs)
- 2 cuillères à café       lait

## PRÉPARATION

Préchauffer le four à 200 degrés de chaleur haut / bas.

Pétrissez bien les ingrédients, laissez lever la pâte pendant environ 20 minutes pour que les graines de lin puissent gonfler un peu.

Faites cuire le pain pendant 40 minutes.

# JUICY OKARA - GRAINES DE LIN - PAIN

Portions: 1

## INGRÉDIENTS

- 1 cuillère à soupe      huile
- 1 cuillère à café      le vinaigre
- 1 paquet.      Levure sèche
- 50 grammes    graine de lin
- 450 grammes  Farine
- 150 grammes  Okara
- Quelque chose de lait de soja (boisson de soja), (boisson de soja)
- 1 cuillère à café de sel
- 1 cuillère à café de sucre

## PRÉPARATION

Dans la machine à pain: ajoutez tous les ingrédients et sélectionnez le programme normal (environ 3 heures). Ajoutez éventuellement de la boisson au soja si la pâte devient trop sèche.

Méthode conventionnelle: pétrir tous les ingrédients. La pâte est très collante et molle. Laisser lever dans un endroit chaud pendant environ 1 heure. Cuire au four préchauffé à 180 ° C pendant environ 55 minutes.

Remarque: le pain s'effondre un peu après la cuisson. Au total, il contient env. 2140 kcal, 82 g de protéines, 38 g de matières grasses et 364 g de glucides.

L'okara est un sous-produit de la production de lait de soja ou de tofu.

# ÉPELLED - BUTTERMILK - PAIN

Portions: 1

## INGRÉDIENTS

- 500 grammes  Repas d'épeautre
- 500 grammes  Farine d'épeautre
- 2 cuillères à soupe     sel
- 1 cuillère à café          du sucre
- 1 paquet.          Levure
- 850 ml Babeurre

## PRÉPARATION

Temps total env. 1 heure 15 minutes

Mélangez la levure et le sucre dans une tasse avec du babeurre tiède. Tamisez les deux farines dans un bol, faites un puits et ajoutez la levure dissoute. Mélanger avec un peu de farine et incorporer graduellement le babeurre restant et le sel. Pétrissez bien la pâte et laissez-la lever pendant une heure jusqu'à ce que la pâte ait doublé.

Pétrir à nouveau et façonner une miche de pain. Laisser lever 15 minutes et déposer sur une plaque graissée. (Vous pouvez bien sûr également utiliser un moule à pain.)

à 220 degrés pendant 50 minutes.

Des céréales peuvent également être ajoutées!

Pain vraiment délicieux et surtout sain!

# PAIN FLUFFY NAAN

Portions: 4

## INGRÉDIENTS

- 260 grammes  Farine
- 100 ml Lait, chaud
- 120 grammes   Yaourt nature
- 1 cuillère à café de sucre
- ½ cuillère à café       sel
- 1 cuillère à café de levure sèche
- ¼ cuillère à café       levure chimique
- 1 cuillère à café d'huile
- 3 gousses d'ail, hachées
- 40 g de beurre fondu
- n. B. Coriandre ou oignons, fraîchement hachés

## PRÉPARATION

Temps total env. 1 heure 45 minutes

Mélangez 200 g de farine avec le sel, le sucre, la levure et la levure, puis ajoutez le yaourt et mélangez à nouveau. Ajoutez progressivement le lait chaud en pétrissant puis pétrissez avec le reste de farine jusqu'à obtenir une pâte lisse et non plus collante. Couvrir et laisser lever la pâte pendant au moins 1 heure, puis huiler un peu les mains et pétrir à nouveau brièvement la pâte.

Divisez la pâte en 4 morceaux, écartez-les sur une surface farinée et aplatissez-les en gâteaux plats (ne pas les rouler). Étalez l'ail haché et éventuellement des oignons et / ou de la coriandre sur le dessus.

Faire dorer vigoureusement le fond des pains plats dans une poêle (avec revêtement antiadhésif) sans huile puis cuire les pains plats à 200 ° C pendant 2 à 5 minutes jusqu'à ce que la surface soit légèrement dorée. Enfin, répartissez le beurre sur le pain naan fini et servez.

# PAIN DE BLÉ À GRAINS ENTIERS AVEC LEVURE

Portions: 1

## INGRÉDIENTS

- 700 grammes Eau, froide
- 10 g de levure, fraîche
- 15 g de sel
- 1 000 gFarine, farine de blé entier (fraîchement terre!)

## PRÉPARATION

.Veuillez faire en sorte que le bol de travail soit suffisamment grand!

Étape 1: Pesez 350 g d'eau froide du robinet dans le bol (pour être plus précis), émiettez la levure, laissez-la bien se dissoudre, ajoutez 250 g de farine de blé entier, mélangez bien le tout (peut être remuée comme une pâte à crêpes). Couvrez bien le bol et laissez lever à température ambiante pendant environ 45 à 60 minutes.

2ème étape: Rafraîchir la pâte (c'est-à-dire donner aux levures et autres petits organismes un «nouvel aliment»!): Ajouter 350 g d'eau à la pâte fermentée, bien mélanger et incorporer 250 g de farine complète. Couvrir à nouveau le bol et laisser lever à nouveau pendant 45 à 60 minutes.

3ème étape: Ajouter le sel à la pâte maintenant vigoureusement fermentée et remuer, pétrir soigneusement les 500 g de farine complète restants. Pétrissez cette pâte principale un peu plus longtemps jusqu'à ce qu'une pâte lisse et élastique se forme, qui, pour ainsi dire, nettoie son bol lui-même. Si la pâte colle à vos mains, humidifiez-la avec de l'eau et continuez à pétrir.

Laisser reposer la pâte pendant env. 20 minutes, bien couvrir dans le bol. Mettre ensuite la pâte dans un grand moule à pain pour un pain de 1 500 g ou façonner 2 pains de même taille avec les mains mouillées et laisser lever bien à couvert sur la plaque à pâtisserie pendant environ 10 minutes.

Préchauffer le four à 250 ° C à temps; mettez un bol d'eau chaude au fond du poêle; Un fort développement de vapeur au début du processus de cuisson est bénéfique pour le brunissement et une bonne levée du pain.

Cuisson: env. 15-20 minutes à 250 ° C avec de la vapeur, env. 20-30 minutes à 200 ° C sans vapeur (retirez le bol d'eau!). Le temps de cuisson exact ne peut pas être prévu, car les fours fonctionnent différemment et le temps de cuisson dépend directement de la taille des produits de boulangerie. Par conséquent, vous devriez faire un test de frappe vers la fin, c'est-à-dire frapper sur le fond du pain, si cela semble creux, c'est fait.

# PAIN FAIBLE EN CARBES

Portions: 1

## INGRÉDIENTS

- 150 grammes   quark faible en gras
- 4 œufs)
- 50 g amande (s), moulue
- 50 grammes   Graines de lin écrasées
- 2 cuillères à soupe      Son (son de blé)
- ½ paquet.      levure chimique
- ½ cuillère à café        sel
- Du gras pour la forme

## PRÉPARATION

Mélanger tous les ingrédients ensemble, placer dans un moule à pain légèrement graissé et laisser reposer pendant cinq minutes. Préchauffez le four à 170 ° C pendant 15 minutes puis faites cuire le tout pendant une heure sur la grille du milieu.

Le pain n'est bien sûr pas comparable au pain «normal», mais il est faible en calories et en glucides et très savoureux! Il a un goût particulièrement bon lorsque vous remettez les tranches dans le grille-pain.

# PAIN LOWCARB - PAIN PROTÉINÉ

Portions: 1

## INGRÉDIENTS

- 4 œufs)
- 250 g   Caillé maigre, sec
- 50 grammes   Amande (s), moulue
- 1 paquet.         levure chimique
- 50 grammes   Graines de lin écrasées
- 25 grammes   Son (son de blé)
- 50 grammes   Farine de soja
- 50 grammes   Son (son d'avoine)
- 1 cuillère à café       sel
- 2 cuillères à café       Graine de carvi
- Épice (s) ou mélanges d'épices de votre choix
- 20 grammes   Graines de tournesol à saupoudrer

## PRÉPARATION

Mélangez tous les ingrédients avec un batteur à main. Ensuite, formez des petits pains et saupoudrez de graines de tournesol ou mettez la pâte dans un moule à pain tapissé de papier sulfurisé et saupoudrez de graines de tournesol. Cuire les petits pains pendant 30 minutes et le pain pendant 60 minutes à 180 ° C.

# PAIN KETO MICRO-ONDES

Portions: 1

## INGRÉDIENTS

- 10 grammes    beurre
- Des œufs)
- ½ cuillère à café        levure chimique
- 30 grammes    Poudre d'amande

## PRÉPARATION

Liquéfiez brièvement le beurre au micro-ondes. Mettez tous les ingrédients dans une tasse à café standard et mélangez bien. Assurez-vous que la pâte est lisse et qu'il ne reste vraiment plus de grumeaux (cela conduit à la formation de bulles dans le pain et se termine par des trous).

Maintenant, mettez la tasse au micro-ondes pendant 90 secondes à pleine puissance. Si la pâte est encore légèrement humide (éventuellement possible avec 600 watts), continuez simplement la cuisson par étapes de 10 secondes jusqu'à ce qu'elle soit ferme.

Inclinez-la hors de la tasse immédiatement après la cuisson.

Astuces: Si vous le souhaitez, vous pouvez cuire brièvement le pain refroidi dans le grille-pain.

Ou si vous le souhaitez, vous pouvez pimper la recette de base avec des gouttes de stevia et / ou de cacao et obtenir un gâteau sucré. Également fortement recommandé avec la vanille et la stévia.

# PAIN DE COURGETTES POUR LA FABRIQUE DE PAIN

Portions: 1

## INGRÉDIENTS

- 50 ml  Eau, froide
- 500 grammes  Farine, type 550
- 300 grammes  Courgettes, râpées
- 2 cuillères à café      sel
- 1 cuillère à café de sucre
- 1 pincée (s) de piment de Cayenne, juste une touche
- ¾ sac / s Levure sèche
- 1 cuillère à café Ajoutez de l'huile d'olive lors du premier pétrissage
- 1 cuillère à café Étalez de l'huile d'olive sur le dessus du pain, qui est encore chaud

## PRÉPARATION

Il est essentiel de mettre les ingrédients dans le récipient de la machine à pain dans l'ordre indiqué. Ne laissez pas les zucchinis au repos, mais mettez-les immédiatement dans la machine, sinon ils retireront le jus.

# PAIN DE POMMES DE TERRE DOUX ET RAISINE

Portions: 1

## INGRÉDIENTS

- 350 grammes  Farine
- 2 cuillères à café de levure
- ½ cuillère à café      sel
- 1 cuillère à café de cannelle
- ½ cuillère à café      Noix de muscade
- 500 grammes  Patate douce
- 100g    Sucre, brun
- 120 grammes  beurre
- 3 oeufs)
- 100g    Raisins secs

## PRÉPARATION

Épluchez et coupez les patates douces en dés et faites cuire à l'eau légèrement salée pendant env. 10-15 minutes jusqu'à tendreté. Égoutter dans une passoire.

Préchauffer le four à 180 degrés (convection 160 degrés) et graisser un moule à pain d'une capacité d'env. 1 litre.

Tamisez la farine, le sel, la levure chimique, la cannelle et la muscade dans un bol. Mélangez les patates douces molles avec la cassonade, le beurre et les œufs dans un autre bol à l'aide du batteur à main. Ajouter le mélange de farine et les raisins secs et remuer avec une cuillère en bois jusqu'à ce que la farine épaississe

Versez la pâte dans le moule à pain préparé et faites cuire le pain au four pendant 60 à 75 minutes. (Test de bâton en bois!)

Laisser refroidir le moule sur une grille pendant environ 15 minutes, puis retirer délicatement le pain et le placer sur la grille pour qu'il refroidisse.

Le pain aux patates douces et aux raisins secs a meilleur goût lorsqu'il est tiède, tartiné d'un peu de beurre. Le succès absolu pour un copieux petit-déjeuner du dimanche en famille.

# PAIN 5 MINUTES

Portions: 1

## INGRÉDIENTS

- 200 grammes  Farine (farine de blé)
- 200 grammes  Farine (farine de seigle)
- 50 grammes    gruau
- 100g    Grains (graines de tournesol, graines de lin, sésame, etc.)
- 1 cuillère à café        sel
- 1 cuillère à soupe       du sucre
- 1 paquet.        Levure (levure sèche)
- 350 ml L'eau tiède
- Graisse pour le plat de cuisson

## PRÉPARATION

Mettez tous les ingrédients sauf l'eau dans un bol et mélangez brièvement. Ajoutez maintenant l'eau et remuez pendant 3 minutes avec le batteur à main (crochet pétrisseur) au plus haut niveau. Graisser un moule à pain et ajouter la pâte. Lisser la surface de la pâte dans le plat de cuisson, saupoudrer de quelques grains si nécessaire et couper dans le sens de la longueur d'env. 1 cm.

Placez sur la grille du milieu dans le four non préchauffé (!), Réglez-le à 190 ° C avec chaleur supérieure et inférieure et faites cuire le pain pendant 60 minutes.

Lorsque le pain est froid, il peut tomber du plat de cuisson.

# BRILLANCE MAGIQUE POUR

Portions: 1

## INGRÉDIENTS

- 200 ml l'eau
- 1 cuillère à soupe      amidon alimentaire
- 1 cuillère à soupe      sel

## PRÉPARATION

Avec cet agent, les pains obtiennent leur brillance particulière. On dirait de la boue, c'est pourquoi je l'appelle aussi avec amour de la boue magique.

Je mets cette recette ici parce qu'on m'interroge si souvent à ce sujet. Mon pain en est enrobé après la cuisson (15 minutes pour moi) puis à nouveau pendant 15 minutes avant que le pain ne soit fini. Dans mon album photo, vous pouvez regarder les pains qui en ont été enrobés, ici surtout le pain de blé de Delphinella et mon pain de seigle double cuisson, vous le reconnaissez particulièrement bien à ces pains.

Mélangez bien tous les ingrédients pour qu'il n'y ait plus de grumeaux. Portez le tout à ébullition une fois, laissez refroidir et versez-le dans un bocal.

Puisque je fais cuire presque tous les jours, un verre comme celui-ci dure environ 10 jours au réfrigérateur.

# PAIN DE SEIGLE AU SÉSAME

Portions: 1

**INGRÉDIENTS**

Pour le levain:

- 25 grammes    Levain
- 110 grammes   Farine de seigle entière
- 200 ml Eau (tiède)
- Pour la pâte:
- 400 grammes  Farine de blé type 550
- 600 grammes  Farine de seigle entière
- 60 grammes    mon chéri
- 40 grammes    Graines de tournesol
- 20 grammes    sésame
- 20 grammes    sel
- 700 ml Eau (tiède)
- Graines de sésame à saupoudrer

- Du gras pour la forme

## PRÉPARATION

Pour le levain, mélangez la base, la farine et l'eau dans un bol. Couvrir et laisser reposer à température ambiante pendant environ 12 heures jusqu'à ce que le levain forme des bulles.

Retirer 25 g de levain, verser dans un bocal à vis et conserver au réfrigérateur pour le lendemain de la cuisson.

Pour la pâte, mélanger le levain restant, les deux types de farine, le miel, les graines de tournesol, les graines de sésame, le sel et l'eau dans un bol à la main ou au robot culinaire (réglage le plus bas) pendant cinq minutes.

Graisser deux moules à pain de 1 kg et saupoudrer généreusement de graines de sésame. Versez ensuite env. 1070 g de pâte dans chaque moule. Appuyez dessus avec les mains mouillées puis saupoudrez la surface de graines de sésame. Couvrir et laisser lever à température ambiante pendant 6 à 8 heures jusqu'à ce que la pâte ait augmenté de volume.

Préchauffer le four à 250 ° C haut / bas y compris la grille de cuisson au moins 30 minutes avant la cuisson.

Utilisez un vaporisateur pour vaporiser à nouveau le pain sur la surface avec de l'eau avant la cuisson.

Avant que les pains n'entrent dans le four, baissez la température à 200 ° C. Puis faites cuire le pain sur la 2ème grille à partir du bas pendant environ 60 minutes. Si vous le souhaitez, vous pouvez retirer le pain du moule 10 minutes avant la fin de la cuisson et le cuire sur la grille.

Après la cuisson, vaporisez le pain tout autour avec le vaporisateur et enveloppez chacun dans une serviette. Laisser refroidir complètement.

# PAIN BERLIN

Portions: 1

## INGRÉDIENTS

- 100g    Noisettes, entières
- 100g    Amande (s), entières, non pelées
- 500 grammes  Farine
- 500 grammes  du sucre
- 3 cuillères à soupe      Poudre de cacao
- 2 cuillères à café      cannelle
- 1 cuillère à café de clou de girofle, moulu
- 1 cuillère à soupe      levure chimique
- 2 cuillères à soupe      crème aigre
- 4e      Des œufs)
- 100g    sucre en poudre
- 1 ½ cuillère à soupe d'eau chaude

## PRÉPARATION

Coupez les noisettes et les amandes en gros morceaux. Mettez la farine dans un grand bol à mélanger, faites un puits au milieu. Étalez les noix, le sucre, le cacao, la cannelle, les clous de girofle et la levure chimique sur le bord. Mettez la crème sure et les œufs au milieu. Pétrir la pâte. Étalez sur une plaque à pâtisserie graissée.

Cuire au four à 200 ° C pendant 20-30 minutes.

Pendant ce temps, mélangez un glaçage lisse avec le sucre en poudre et l'eau. Après la cuisson, badigeonnez le pain de Berlin de glaçage pendant qu'il est encore chaud et coupez-le en morceaux de 2x5cm.

# PAIN PÉRISNOMS FAIBLE EN

Portions: 1

## INGRÉDIENTS

- 60 grammes    Son de blé
- 60 grammes    Graines de lin écrasées
- 120 grammes  Son d'avoine
- 3 oeufs)
- 2 cuillères à soupe      l'eau
- 1 cuillère à café de mélange d'épices pour pain
- ½ cuillère à café        sel

## PRÉPARATION

Mélangez tous les ingrédients et laissez tremper 10 minutes.
Ensuite, placez-le sur un grand morceau de film plastique et
enroulez-le en un rouleau serré. Fermez bien le film

alimentaire aux extrémités. Maintenant, enveloppez le tout hermétiquement dans du papier d'aluminium et laissez mijoter dans l'eau chaude pendant environ 30 minutes.

Vous pouvez bien sûr incorporer d'autres herbes ou épices dans le mélange à votre guise.

Conseil de Chefkoch.de: La teneur en cadmium des graines de lin étant relativement élevée, le Centre fédéral de la nutrition recommande de ne pas consommer plus de 20 g de graines de lin par jour. La consommation quotidienne de pain doit être divisée en conséquence.

# TOURNESOL - CÉRÉALES - PAIN

Portions: 1

## INGRÉDIENTS

- 100g    Graines de tournesol
- 50 grammes    graine de lin
- 50 grammes    Avoine (nue ou décortiqué)
- 50 grammes    Millet
- 50 grammes    Sarrasin
- 500 ml Eau bouillante
- 250 g   Farine (farine de blé type 405)
- 250 g   Farine (farine de blé entier)
- 1 cube  Levure
- 2 cuillères à café      Miel, liquide
- 2 cuillères à café      sel de mer

## PRÉPARATION

Faites rôtir les graines de tournesol dans une poêle sèche et lourde, en les retournant plusieurs fois, jusqu'à ce qu'elles sentent agréable.

Versez l'eau bouillante sur les graines de lin, l'avoine, le millet et le sarrasin, remuez et laissez tremper environ 1 heure à couvert.

Mélanger les farines dans un grand bol, émietter la levure d'un côté sur le bord du bol, répartir le miel sur la levure. Versez les graines de lin tièdes gonflées avec le liquide dessus et mélangez avec la levure, le miel et une partie de la farine.

Couvrir le bol avec un chiffon et placer dans un endroit chaud pendant environ 15 minutes. Pétrissez ensuite la farine et le sel restants et les graines de tournesol grillées dans la pré-pâte à l'aide du crochet pétrisseur d'un batteur à main ou d'un robot culinaire. Couvrir et laisser reposer la pâte environ 15 minutes. Graisser la forme.

Pétrir à nouveau soigneusement la pâte jusqu'à ce qu'elle soit souple et se détache du bord du bol. Versez la pâte dans le moule à l'aide d'une spatule et lissez-la. Couvrir d'un torchon et laisser lever dans un endroit chaud pendant encore 15 minutes jusqu'à ce que la pâte ait augmenté de volume d'environ un tiers.

Puis éventuellement entaillez la surface à un angle avec un couteau. Vaporisez le fond et les parois latérales du four froid avec de l'eau ou essuyez brièvement avec un chiffon humide. Cuire le pain au four (ci-dessous) à 200 ° C pendant environ 1 heure jusqu'à ce qu'il soit doré. Ensuite, laissez-le reposer dans le four éteint pendant environ 10 minutes.

Sortez le pain du four et sortez délicatement du moule, vaporisez ou badigeonnez d'eau froide de tous les côtés. Cuire à nouveau au four (ci-dessous) sur la grille sans la casserole pendant 10-15 minutes à 200 ° C.

Puis vaporisez ou brossez avec de l'eau.

# PAIN PANINI

Portions: 1

## INGRÉDIENTS

- 340 grammes  Farine
- 250 ml Eau, tiède
- 20 ml   huile
- 5 grammes      Levure sèche
- 0,67 cuillère à soupe de sucre
- 0,33 cuillère à soupe de sel

## PRÉPARATION

Mélangez ensemble la farine, le sucre, le sel et la levure sèche. Ajoutez l'eau et l'huile. Pétrir et, si nécessaire, ajouter plus de farine jusqu'à ce que la pâte ne soit que légèrement collante.

Sortez la pâte du bol, ajoutez quelques gouttes d'huile dans le bol et roulez-y la pâte jusqu'à ce qu'elle soit complètement couverte. Laisser lever sous un chiffon humide pendant environ 45 minutes.

Divisez la pâte en 4 morceaux et formez de longs pains. Laisser lever sous le chiffon pendant encore 30 minutes.

Préchauffer le four à 200 ° C d'air ventilé.

Cuire le pain de 12 à 15 minutes, selon la couleur désirée, sur une plaque à pâtisserie tapissée de papier sulfurisé sur la grille du milieu.

Badigeonnez ensuite le pain encore chaud de lait. Cela garde la croûte douce et douce et est idéale pour les grillades.

# PAIN AU SOURDOUGH

Portions: 1

## INGRÉDIENTS

- 250 g   Farine de seigle complète
- 250 g   Farine d'épeautre complète
- 320 ml Lactosérum, naturel, tiède
- 150 grammes   levain
- 1 cuillère à soupe      sel
- 20 grammes    Levure, fraîche
- 1 cuillère à café       Graine de carvi
- 1 cuillère à café       coriandre
- 1 cuillère à café       fenouil
- 1 cuillère à café       anis
- n. B.   Noix, entières
- n. B.   Graines de tournesol

## PRÉPARATION

Émiettez la levure fraîche dans le petit-lait tiède et remuez. Écraser les graines de carvi, l'anis, la coriandre et le fenouil dans un mortier ou les broyer finement dans un moulin. Mettez tous les ingrédients (y compris les noix et les graines de tournesol comme vous le souhaitez) dans un pétrisseur et travaillez sur le réglage le plus bas pendant environ 10 minutes pour former une pâte.

Ensuite, mettez la pâte dans un panier ou un bol, couvrez d'un torchon et laissez reposer dans un endroit chaud pendant environ 1 heure jusqu'à ce que la pâte ait bien levé.

Préchauffez le four à 250 ° C et placez un petit bol d'eau sur la sole du four. Retourner la pâte du panier de cuisson et faire cuire sur une pierre réfractaire ou une plaque à pâtisserie au milieu de la grille, chaleur haut / bas, pendant 10 minutes à 250 ° C, puis réduire la température à 210 ° C et cuire au four environ 50 minutes.

# PAIN AU CHANVRE À L'ÉPELLE

Portions: 1

## INGRÉDIENTS

- 200 grammes  Farine d'épeautre (grains entiers)
- 250 g   Farine d'épeautre, 1050
- 150 grammes   Farine de seigle, 1150
- 60 grammes    Graines de chanvre, moulues
- 80 grammes    Graines de chanvre, pelées
- 1 cuillère à soupe       sel
- 1 cube   Levure, fraîche
- 100g    quark faible en gras
- 375 ml l'eau

## PRÉPARATION

Dissoudre la levure dans de l'eau tiède. Mélanger tous les ingrédients secs. Mélangez très lentement avec le fromage blanc et l'eau de levure pendant 10 minutes à l'aide d'un crochet pétrisseur et couvrez dans un endroit chaud et laissez lever pendant 45 minutes. La pâte est très légèrement collante.

Saupoudrez de farine sur un plan de travail et pétrissez à nouveau la pâte à la main, mettez-la dans un moule à pain graissé et laissez reposer encore 30 minutes. Coupez 3 fois avec le couteau.

Mettez un bol d'eau dans le four et faites cuire au four préchauffé à O / U 250 ° sur la deuxième grille à partir du bas pendant 15 minutes, baissez à 190 ° et cuire encore 35 minutes.

# PFANNENBÖREK 5 MINUTES AVEC PAIN LAVASSE

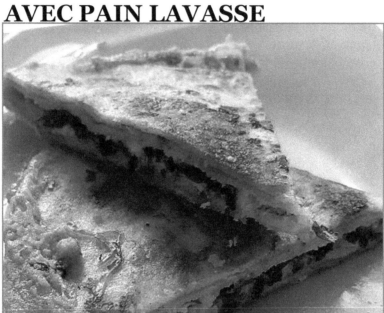

Portions: 1

**INGRÉDIENTS** \

Pour le remplissage:

- 200 grammes  Fromage de brebis
- ½ frette        Persil (frais
- Pour la sauce:
- 200 mllait
- 50 ml   huile
- Des œufs)
- n. B. sel et poivre
- n. B. Pul castor

Également:

- 4 Tortilla (s) (pains Lavash)

## PRÉPARATION

Écraser le fromage de brebis avec une fourchette, hacher le persil et mélanger avec le fromage.

Mélangez tous les ingrédients ensemble pour la sauce.

Badigeonner une poêle antiadhésive de margarine, y verser du pain lavash et badigeonner généreusement de sauce. Versez le deuxième pain Lavash dessus, badigeonnez à nouveau la sauce et étalez la garniture dessus. Mettez un autre pain lavash sur la garniture, étalez la sauce et versez le dernier pain sur le dessus, étalez généreusement avec la sauce et laissez infuser dans la casserole pendant environ 10-15 minutes.

Allumez enfin la cuisinière, faites cuire le Börek des deux côtés à feu doux et badigeonnez de beurre.

# PAIN EN CROÛTE DE YAOURT

Portions: 1

## INGRÉDIENTS

- 240 grammes  l'eau
- 10 grammes   Levure
- 350 grammes  Farine de blé type 550
- 150 grammes  Farine de seigle type 1150
- 100g   yaourt
- 2 cuillères à café   sel
- 1 cuillère à café   mon chéri
- 1 cuillère à café   Malt cuit au four ou café caro
- 2 cuillères à soupe   Vinaigre balsamique, plus blanc

## PRÉPARATION

Dissoudre la levure dans de l'eau tiède. Ajouter le reste des ingrédients au mélange eau-levure et pétrir en une pâte lisse avec le batteur à main. Saupoudrer la pâte de farine et laisser lever environ 1h30.

Graisser le moule à pain et ajouter la pâte. Saupoudrez à nouveau de farine et remettez le couvercle. Mettez le plat de cuisson dans le four froid. Cuire au four environ 10 minutes à 240 degrés. Ensuite, coupez le dessus du pain et faites cuire encore 40 à 50 minutes.

Lorsque le temps de cuisson est écoulé, retirez le couvercle, éteignez le four et faites dorer le pain au four.

# PAIN NOIX DE CAROTTE

Portions: 1

## INGRÉDIENTS

- 400 grammes  Farine de blé (grains entiers)
- 100g    Farine de seigle (grains entiers)
- 150 grammes   levain
- 8 grammes      Levure, fraîche
- 1 cuillère à soupe       Huile, (huile de noix)
- 150 grammes   Carotte (s), hachée (s) finement
- 1 cuillère à soupe      sel assaisonné
- 1 cuillère à café, nivelée       Mélange d'épices pour pain, moulu
- 1 pincée       Trèfle minable, moulu
- 300 ml Eau, tiède
- 75 grammes    Noix, hachées grossièrement

## PRÉPARATION

Bien pétrir tous les ingrédients (sauf les noix) avec env. 200 ml d'eau. Continuez à ajouter progressivement suffisamment d'eau jusqu'à ce qu'une pâte élastique se forme. Pétrissez enfin les noix sans les serrer.

Couvrir et laisser reposer la pâte env. 2 heures.

Répartissez la pâte au milieu et pétrissez à nouveau sur une surface farinée.

Mettre les deux pâtons dans des paniers de levée farinés (Simperl) et laisser lever env. 1 heure.

Préchauffer le four à 240 ° C.

Placez un bol résistant à la chaleur avec de l'eau chaude dans le tube.

Mettez le pain au four, vaporisez à nouveau d'eau et faites cuire à 240 ° C pendant 10 minutes.

Réduisez ensuite la température à 180 ° C. Cuire encore 30 minutes (test de cliquetis).

Saupoudrer le pain d'eau et cuire 5 minutes dans le four éteint.

# PAIN FAIBLE EN CARBES - LOCA RENE

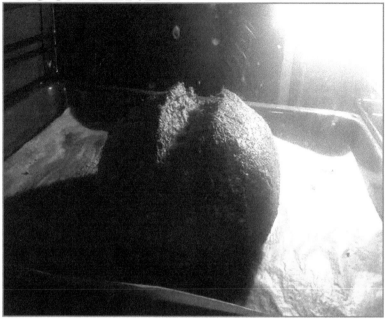

Portions: 1

## INGRÉDIENTS

- 500 grammes  Quark, 20% de matières grasses
- 2 cuillères à café        sel
- 6e        Des œufs)
- 4 cuillères à soupe      Graines de lin écrasées
- 1 cuillère à soupe        Amande (s), hachée (s)
- 1 cuillère à soupe        Noisettes, hachées
- 4 cuillères à soupe      Graines de tournesol
- 50 grammes    Son de blé
- 125 grammes   Son d'avoine
- 100g    Coques de psyllium
- 1 paquet.        levure chimique

## PRÉPARATION

Mélanger tous les ingrédients dans un bol et mélanger avec un batteur à main et un crochet pétrisseur.

Préchauffer le four à 200 ° C haut / bas.

Après avoir mélangé, humidifiez vos mains et façonnez la pâte à pain en une masse. L'ajout de cosses de psyllium donne au pain une consistance volontairement ferme. Humidifiez à nouveau vos mains au besoin.

Tapisser ensuite la plaque à pâtisserie de papier sulfurisé, façonner la pâte à pain en forme de pain et couper une longueur d'env. 0,5 cm avec un couteau. Mettez le pain au four et faites cuire pendant 60 minutes.

Ensuite, laissez refroidir le pain et rangez-le dans la boîte à pain

Remarque: dans la boîte à pain, le pain est facilement frais pendant cinq jours et ne devient pas dur, il n'a donc pas besoin d'être réfrigéré.

# PAIN MOZZARELLA À L'AIL

Portions: 1

## INGRÉDIENTS

- 360 grammes  Farine
- 220 ml Eau, tiède
- ½ cube        Levure fraîche
- 2 cuillères à soupe     huile
- 1 cuillère à café de sel
- 1 cuillère à café de sucre
- 35 grammes    Beurre doux
- 3 gousses d'ail)
- 1 poignée de ciboulette
- 1 balle  Mozzarella
- 1 pincée (s) de sel
- 1 pincée (s) de poivre

## PRÉPARATION

Dissoudre la levure et le sucre dans l'eau tiède et ajouter à la farine. Ajouter l'huile et le sel et pétrir le tout avec un mélangeur pendant environ 10 minutes jusqu'à ce qu'une masse lisse se forme. Mettre la pâte dans un bol huilé, couvrir et laisser lever environ 40 minutes.

Ensuite, placez la pâte sur une plaque à pâtisserie tapissée de papier sulfurisé, appuyez un peu et couvrez-la et laissez reposer encore 15 minutes.

En attendant, préparez le beurre à l'ail. Pour ce faire, mélangez le beurre, l'ail finement haché ou pressé, la ciboulette et le sel et le poivre.

Maintenant, coupez plusieurs fois dans la pâte avec un couteau puis badigeonnez avec le beurre à l'ail. Coupez la boule de mozzarella en lanières et remplissez les incisions.

Cuire sur la grille du milieu dans le four préchauffé à 220 degrés de chaleur haut / bas pendant env. 15 à 20 minutes

# PAIN OU ROULEAUX EN

Portions: 1

## INGRÉDIENTS

- 750 grammes   Farine de blé (type 550)
- 250 g   Farine de seigle (type 1000)
- 750 ml Eau (chaude
- 15 grammes    sel
- 20 grammes    Levure, fraîche
- 1 cuillère à café        du sucre

## PRÉPARATION

Mélanger l'eau avec le sucre et la levure et laisser lever un peu (environ 5 à 10 minutes). Mélangez la farine et le sel. Mélangez ensuite avec le mélange eau-levure pour former une pâte molle. Laisser lever la pâte pendant 2 heures après le pétrissage.

Tapisser une plaque à pâtisserie de papier sulfurisé. Divisez la pâte en deux. Humidifiez toujours vos mains. Repliez toujours la pâte pour obtenir une surface lisse. Placer sur la plaque à pâtisserie et frotter à nouveau la surface avec une main humide. Si vous le souhaitez, vous pouvez également former des rouleaux à partir de la pâte.

Préchauffer le four à 250-300 ° C. Cuire le pain environ 5 minutes à feu vif. Ensuite, baissez la température à 200 ° C et ouvrez la porte du four une fissure (pincez une cuillère en bois ou similaire entre les deux). Cuire au four pendant 35 minutes.

Puis badigeonnez à nouveau le pain d'eau et faites cuire encore 20 minutes avec la porte du four fermée. Le temps de cuisson est considérablement réduit pour les rouleaux car ils sont plus courts.

# CAROTTES - COURGES - PAIN

Portions: 1

## INGRÉDIENTS

- 12 g de levure (1/4 cube)
- 7 grammes    Du sel, peut-être plus
- 2 cuillères à café    mon chéri
- 1 m. De grosses courgettes
- 2 carottes
- 1 cuillère à soupe    Herbes (congelées)
- 1 cuillère à café    Vinaigre (vinaigre de cidre de pomme)
- 2 cuillères à soupe    yaourt
- 300 grammes Farine, variété de votre choix, éventuellement plus
- 1 cuillère à café    Gomme de caroube ou fécule de maïs
- 1 cuillère à soupe    gruau

- 1 cuillère à soupe    Graines de tournesol
- 1 cuillère à café de graines de lin
- n. Graines de tournesol à saupoudrer
- n. Sarrasin à saupoudrer ou autres grains
- Peut-être. poivre
- n. B.   l'eau

\PRÉPARATION

Faire bouillir les flocons d'avoine, les graines de tournesol, les graines de lin et 1 cuillère à café de miel avec de l'eau chaude afin que le mélange soit juste recouvert d'eau et mettre de côté couvert pendant 3 heures. Dissoudre la levure avec du sel et 1 cuillère à café de miel.

Nettoyez les carottes et les courgettes et râpez-les finement avec une trancheuse - de préférence dans un grand bol. Mélangez le mélange de légumes avec 1 cuillère à café de yaourt, le vinaigre et les herbes, salez au goût (j'ajoute parfois un peu de poivre) et incorporez le mélange de céréales.

Placez maintenant le bol sur une échelle et ajoutez 300 g de farine. Versez la gomme de caroube dessus et mélangez grossièrement la couche de farine. Maintenant, le mélange de levure mélangé avec une cuillère à soupe d'eau froide est versé et tout est mélangé avec une cuillère. Incorporer la farine jusqu'à ce que la pâte puisse être pétrie à la main sans trop coller aux doigts. (Cela dépend de la farine que vous utilisez.) Couvrez cette pâte d'un film plastique et laissez-la reposer pendant 30 minutes.

Puis broyer et placer sur une plaque à pâtisserie tapissée de papier sulfurisé. Il est préférable de le laisser monter dans le four fermé avec un bol d'eau bouillante au fond du four, également recouvert d'un film alimentaire.

Sortez au bout de 45 minutes et préchauffez le four à 230 ° (l'eau reste dans le four). Mélangez le reste du yaourt avec un filet d'eau et étalez-le sur la pâte. Saupoudrer au goût et glisser dans le four. Après 10 à 15 minutes, humidifier avec de l'eau (vaporiser avec un pulvérisateur de fleurs) et baisser à 200 °. Terminez la cuisson jusqu'à ce qu'il sonne creux lorsque vous frappez sur le dessous du pain.

Pendant la cuisson, je cuit la pâte à la vapeur toutes les 15 minutes. C'est (pour moi - mais cela dépend du four) en moyenne pendant 75 minutes dans le four, et celui qui le veut peut le recouvrir de papier sulfurisé peu de temps avant qu'il n'atteigne le degré de brunissement souhaité.

Pour une croûte brillante, le pain est à nouveau cuit à la vapeur avec de l'eau dès qu'il est sorti.

# PAIN DE SEIGLE AUX ÉPELLES AUX CAROTTES

Portions: 1

## INGRÉDIENTS

- 400 grammes  Farine d'épeautre entière
- 200 grammes  la farine de seigle
- 1 cube  Levure
- 3 cuillères à café, tricoter.      sel
- 500 ml Babeurre, tiède
- 2 cuillères à soupe      Vinaigre balsamique
- 50 ml  l'eau
- 70 grammes    Graines de tournesol
- 30 grammes    Graines de citrouille
- 50 grammes    graine de lin
- 4 cuillères à soupe      Graines de chia
- 200 grammes  Carotte

77

- 1 poignée d'avoine

**PRÉPARATION**

Préchauffez le four à 220 degrés. Graisser un moule à pain L30 B12, H10 et saupoudrer de flocons d'avoine.

Hachez les carottes en très petits morceaux. Versez le babeurre tiède (env. 35 °) sur les carottes.

Versez la levure émiettée et remuez avec le batteur à main à la vitesse 1 pendant trois minutes. Ajouter le reste des ingrédients, à l'exception des flocons d'avoine, et pétrir avec le crochet pétrisseur pendant 4 minutes.

Versez la pâte dans le moule à pain, répartissez-la uniformément et badigeonnez-la d'un peu d'eau. Répartir les flocons d'avoine restants sur le dessus.

Cuire le pain à 220 ° C pendant les 30 premières minutes. Cuire ensuite encore 20 minutes à 180 ° C.

# PAIN AUX ÉPELLES NOIX

Portions: 1

## INGRÉDIENTS

- 250 g   Farine d'épeautre complète
- 250 g   Farine d'épeautre type 630
- 320 ml Babeurre
- 25 grammes   Beurre doux
- 100g   Noix, hachées
- 21 grammes   Levure fraîche
- 1 cuillère à soupe      mon chéri
- ½ cuillère à café      sel

## PRÉPARATION

Mélangez les farines dans un bol. Réchauffez légèrement le babeurre avec le miel, puis dissolvez-y la levure. Mettez le sel, le beurre et le babeurre avec la levure dans le bol de farine et pétrissez avec le crochet pétrisseur pendant quelques minutes, dans les dernières minutes ajoutez les noix. Ne pétrissez pas la pâte trop longtemps, car l'épeautre n'aime pas ça. Couvrir la pâte dans un bol dans un endroit chaud et laisser lever environ 1 heure jusqu'à ce que le volume ait visiblement augmenté.

Sortez la pâte du bol et façonnez-la en un pain. Couvrir et laisser lever à nouveau pendant 25 minutes sur une plaque à pâtisserie préparée.

Pendant ce temps, préchauffez le four à 200 ° C haut / bas.

Vaporisez la miche de pain avec de l'eau et placez-la dans le four préchauffé. Cuire au four pendant 15 minutes. Réduisez ensuite la température à 180 ° C et faites cuire encore 40 minutes.

Laisser refroidir.

# PAIN VEGAN SANS GLUTEN

Portions: 1

## INGRÉDIENTS

- 3 cuillères à soupe, entassées Coques de psyllium
- 3 cuillères à soupe     Farine de lin
- 150 grammes   Farine de teff
- 75 grammes    Farine de sarrasin
- 75 grammes    La farine de mil
- 1 cuillère à café         Bicarbonate de soude
- ½ cuillère à café, travaillé     sel
- Mélange d'épices pour pain, facultatif
- n. B.    Graines de tournesol, graines de citrouille, noix, facultatif
- 450 ml l'eau

## PRÉPARATION

Laisser tremper les enveloppes de psyllium et la farine de lin dans l'eau pendant environ une heure.

Après une heure, ajoutez les ingrédients restants et pétrissez en une pâte lisse avec le mélangeur ou le robot culinaire avec accessoire de pétrissage. La pâte colle, donc ce n'est pas si bon de pétrir à la main.

Ensuite, mouillez-vous un peu les mains avec de l'huile et façonnez la pâte en pain ou en baguette.

Faites plusieurs coupes à travers le corps avec le couteau.

Préchauffer le four à 160 ° C haut / bas.

Placer le pain sur une plaque à pâtisserie tapissée de papier sulfurisé et cuire sur la grille du milieu pendant environ 1 heure. Utilisez une brochette en bois pour vérifier si la pâte est bien cuite. Sinon, faites cuire encore 10 à 20 minutes.

Assurez-vous de laisser refroidir le pain.

# PAIN DE COCOTTE

Portions: 1

## INGRÉDIENTS

- 400 grammes Farine
- 1 ¼ cuillère à café    sel de mer
- ½ cuillère à café      Levure, fraîche
- 3 dl    l'eau
- Farine, pour le plan de travail
- Semoule de maïs, farine ou son, à saupoudrer

## PRÉPARATION

Mélangez la farine, le sel, la levure et l'eau dans un bol uniquement jusqu'à ce que la pâte ferme et humide adhère ensemble - ne pas pétrir! Couvrir et laisser lever à température ambiante pendant 12 à 18 heures jusqu'à ce que la pâte ait doublé de volume et que la surface soit pleine de bulles.

Placer la pâte avec le cône de pâte sur un plan de travail fariné et plier quatre fois: Avec les mains farinées, pliez d'abord les bords supérieur, puis inférieur, gauche et droit de la pâte au milieu. Façonnez rapidement la pâte en une forme ronde et déposez-la sur un chiffon en lin fariné. Saupoudrer de semoule de maïs, de farine ou de son. Couvrir lâchement avec les extrémités de la serviette. Laisser lever à température ambiante pendant 1 à 2 heures.

Placer une casserole en fonte de 4 litres et un couvercle sur un plateau dans le tiers inférieur du four, préchauffer à 240 degrés. Dévissez au préalable les boutons en plastique du couvercle et scellez le trou avec du papier aluminium.

Sortez la casserole du four, retirez le couvercle. Mettez le pain à l'envers dans la casserole à l'aide du chiffon. Couvrir rapidement avec le couvercle chaud et mettre au four. Cuire au four pendant 30 minutes. Retirez le couvercle, faites cuire le pain pendant encore 15 à 30 minutes. Sortez, sortez le pain de la casserole, laissez refroidir sur une grille.

Vous avez besoin de temps et de patience pour ce type de préparation. Mais aucune autre recette n'utilise le pot en fonte aussi intensément que cette façon inhabituelle de faire du pain. Et le résultat est étonnant: c'est ainsi que le pain devrait être, avec une croûte qui chante de manière audible (craquements) lorsqu'il est retiré et refroidi.

# PAIN SANS GRAINS ET SANS OEUF

Portions: 3

## INGRÉDIENTS

- 1 tasse  Coques de psyllium
- 1 tasse  Amandes moulues
- 1 tasse  Graines de tournesol
- ½ tasse      graine de lin
- ½ tasse      sésame
- ¼ tasse      Noix, entières
- ¼ tasse      Graines de citrouille
- 2 cuillères à soupe     Graines de chia
- 350 ml l'eau
- 3 cuillères à soupe     huile
- 1 pincée (s)     sel
- n. B.    Mélange d'épices pour pain

## PRÉPARATION

Une tasse correspond à une tasse à café normale d'environ 200 ml.

Mélangez les ingrédients secs. Ajouter l'eau, l'huile et les épices et bien mélanger. Mettez la pâte dans un moule à pain tapissé de papier sulfurisé et laissez-la tremper pendant 2 heures.

Cuire ensuite à 180 ° C (chaleur haut / bas préchauffé) pendant 20 minutes. Retirer le pain du moule et cuire encore 40 minutes (sans le moule).

Laissez refroidir et dégustez.

Le pain est assez humide. Par conséquent, il doit être consommé rapidement. Il est préférable de le conserver au réfrigérateur ou de le congeler par portions car il se gâte rapidement.

Les graines entières avec l'eau créent une masse compacte qui n'a pas besoin d'œuf pour se lier et qui permet à la digestion de se dérouler correctement. Il ne faut pas oublier que le pain n'est «qu'un» substitut du grain.

Quiconque espère ne remarquer aucune différence avec le pain «normal» sera déçu. Comme alternative pour ceux qui s'abstiennent de céréales, il est définitivement recommandé.

# PAIN AU PESTO, TOMATES SÉCHÉES ET PARMESAN

## INGRÉDIENTS

- 450 grammes  Farine
- 1 cuillère à café, nivelée        Bicarbonate de soude
- ½ cuillère à café        sel
- 110 grammes   Tomate (s), marinée (s), séchée (s)
- 2 cuillères à soupe        Pesto, (pesto de basilic)
- 50 grammes   Parmesan râpé
- 350 ml Babeurre
- Huile d'olive, pour graisser

## PRÉPARATION

Préchauffer le four à 170 ° C. Huiler légèrement une plaque
à pâtisserie plate et saupoudrer de farine dessus.

Tamisez la farine et le bicarbonate de soude dans un bol, ajoutez le sel et les tomates hachées et mélangez.

Faites un puits au milieu de la farine et versez-y le babeurre. Mélangez avec une cuillère pour former une pâte molle. Sur une surface farinée d'un carré d'environ 23 cm. Déroulez le diamètre.

Étalez le pesto sur le dessus et saupoudrez de parmesan dessus. Puis roulez comme un rouleau suisse et placez soigneusement sur la plaque à pâtisserie. Saupoudrez un peu de farine.

Cuire au four pendant 35 à 40 minutes, jusqu'à ce que le pain sonne creux lorsque vous tapotez sur le dessous.

# GRAND PAIN AVEC LEVURE

Portions: 1

## INGRÉDIENTS

- 1 kg    Farine
- 1 cube  Levure, fraîche, 42 g
- 500 ml l'eau
- 2 cuillères à café      sel
- 1 cuillère à café       du sucre

## PRÉPARATION

Préchauffez le four à 50 degrés. Placez une planche de bois sur le plateau dans le rail du milieu.

Mettez la farine dans un grand bol à mélanger. Vous pouvez utiliser de la farine de blé pour un pain blanc ou différents types de farine, par exemple B. Mélangez 500 g de farine de seigle + 500 g de farine de blé. Vous pouvez également ajouter 1/3 de grains ou incorporer 5 cuillères à café d'épices à pain. Il peut être de 1 kg au total. Incorporer le sucre et le sel.

Chauffer lentement 500 ml de liquide dans une petite casserole et y dissoudre la levure. Vous pouvez également utiliser du babeurre ou la moitié de l'eau et du babeurre.

Équipez le batteur de crochets pétrisseurs. Versez le contenu du pot dans la farine et travaillez-le en une pâte lisse pendant environ 5 minutes à l'aide du crochet pétrisseur. Si la pâte est trop sèche, ajoutez de l'eau tiède si nécessaire. Si la pâte est trop collante, pétrir un peu de farine.

Couvrez le bol avec un torchon. Éteignez le four et placez le bol sur la planche de bois dans le four. Laisser lever pendant 45 à 60 minutes.

Sortez le bol du four et pétrissez bien la pâte soit sur un plan de travail fariné avec vos mains, soit avec un batteur avec un crochet pétrisseur. Si vous le souhaitez, vous pouvez utiliser des noyaux tels que B. Pétrir les graines de tournesol. Façonnez la pâte en pain et laissez lever 15 minutes sur le plan de travail.

Préchauffez le four à 175 degrés de circulation d'air. Placez un bol d'eau allant au four au fond du four. Badigeonner le pain d'eau ou de lait et cuire au four pendant 45 minutes.

# PAIN D'ÉPEAUTRE AUX GRAINES DE CHIA

Portions: 1

## INGRÉDIENTS

- 475 grammes   Farine d'épeautre type 630
- 175 grammes   Farine de sarrasin (grains entiers)
- 450 ml Eau, tiède
- 20 grammes   Levure fraîche
- 35 grammes   Graines de chia
- 30 grammes   Graines de tournesol
- 1 cuillère à soupe      Mélange d'épices pour pain
- ½ cuillère à café      Graine de carvi
- 15 grammes    sel

## PRÉPARATION

Mettez les deux types de farine dans un bol. Versez dessus l'eau tiède, mélangez un peu la levure fraîche avec l'eau et laissez lever pendant 10 minutes. Ajoutez ensuite les ingrédients restants et pétrissez le tout en une pâte lisse. Laisser ensuite lever à couvert pendant 45 minutes.

Pétrissez à nouveau la pâte. Verser dans un moule à pain graissé et laisser lever encore 30 minutes.

Préchauffer le four à 220 ° C haut / bas. Placez un plat ignifuge avec de l'eau au fond du four.

Cuire le pain 10 minutes à 220 ° C, baisser la température à 180 ° C et cuire encore 30 minutes.

Après 10 minutes de repos, sortez le pain de la poêle et laissez-le refroidir complètement.

# PAIN TARDIVE

Portions: 1

## INGRÉDIENTS

- 300 grammes Farine
- 150 ml l'eau

- 1 cuillère à café de levure sèche
- 1 cuillère à café de sucre
- 1 cuillère à café de sel

## PRÉPARATION

Une recette pour tous ceux qui veulent du pain frais le matin mais ne veulent pas se lever aussi tôt qu'un boulanger. Le vrai truc réside dans la préparation dans la casserole plutôt qu'au four. C'est suffisant pour 2 personnes.

Préparez une pâte de levure humide à partir des ingrédients la veille au soir. Il peut encore coller quelque chose. (D'autres types de pâte, par exemple avec du fromage blanc ou du levain, sont également possibles.) Brosse

une grande poêle avec de l'huile ou du beurre. Ensuite, mettez la pâte dans la poêle. Mettez le couvercle et laissez reposer toute la nuit.

Le matin, la pâte a vigoureusement levé et recouvre maintenant le fond de la casserole à une hauteur d'env. 1 à 2 cm. Avec le couvercle fermé (!), Faites cuire le pain sur la plus grande flamme / plaque de cuisson à feu doux pendant 10 minutes (jusqu'à 15 minutes selon le poêle et le réglage) jusqu'à ce que le dessous soit doré et que la surface se soit solidifiée. Puis retournez le pain et faites cuire encore 5 minutes sans le couvercle (!) De l'autre côté.

Si vous allumez le pain après vous être levé, vous pouvez le retourner après vous être brossé les dents et votre café sera prêt à temps!

# PAIN À L'ÉPELLET KEFIR

Portions: 2

**INGRÉDIENTS**

500 grammes  Farine d'épeautre

250 g   Farine de seigle, type 1150

250 g   Farine de blé, type 550

3 pièces         Levure sèche

35 grammes   sel

1 cuillère à café         du sucre

700 ml kéfir

150 ml l'eau

80 grammes   graine de lin

80 grammes    sésame

40 grammes    Graines de tournesol

## PRÉPARATION

Faites chauffer le kéfir et l'eau au micro-ondes pendant une minute à 800 watts. Mélangez la farine, les céréales, la levure, le sel et le sucre avec une cuillère, puis ajoutez l'eau de kéfir et pétrissez le tout dans le robot culinaire pendant 10 minutes.

Laisser lever jusqu'à ce que le volume ait doublé. Formez ensuite 2 boules et placez-les dans 2 paniers de fermentation. Laisser lever encore 45 minutes puis démouler sur une plaque à pâtisserie. Cuire au four à 200 ° C haut / bas pendant 45 minutes. Pour commencer, versez une demi-tasse d'eau au fond du four et faites cuire à la vapeur.

# PAIN AUX ÉPELLES AUX

Portions: 1

## INGRÉDIENTS

- 150 grammes  Noisettes
- 42 grammes    Levure
- 500 ml L'eau tiède
- 500 grammes  Farine d'épeautre complète
- 1 cuillère à soupe.      sel
- 2 cuillères à soupe      Vinaigre de cidre de pomme
- Graisse et farine pour le moule

## PRÉPARATION

Préchauffer le four à 225 ° C. Graisser un moule à pain de 25 cm de long et saupoudrer de farine. Hachez grossièrement les noisettes. Émiettez la levure dans un bol. Versez ½ l d'eau tiède et dissolvez la levure dans l'eau en remuant.

Mélangez la farine et le sel dans un bol à mélanger. Ajouter l'eau de levure, le vinaigre et les noix hachées et pétrir avec le crochet pétrisseur du batteur à main. Continuez à pétrir pendant environ 3 minutes jusqu'à ce que vous obteniez une pâte uniforme et plus fluide. Versez immédiatement la pâte dans le moule préparé.

Cuire au four sur la grille du milieu pendant 35 minutes. Éteignez le four et laissez reposer le pain au four pendant environ 5 minutes, puis retirez-le. Retirer du bord du moule avec un couteau, tomber du moule et laisser refroidir.

# PAIN AU JAMBON ET

Portions: 1

## INGRÉDIENTS

- 2 tasses / n de farine
- 1 tasse lait
- 1 paquet. levure chimique
- 100g Jambon, coupé en dés
- 200 grammes Fromage râpé
- 1 cuillère à café Bouillon, céréales
- Du gras pour la forme

## PRÉPARATION

La farine est mélangée avec de la levure chimique et du bouillon puis transformée en une masse collante avec le lait. Le fromage et le jambon sont pliés.

Maintenant, la pâte est placée dans un moule à pain graissé et cuite au four à 150 ° C pendant 35 minutes.

# LE PAIN LE PLUS SIMPLE

Portions: 1

## INGRÉDIENTS

- 1 petit morceau (s) de levure, environ la taille d'une petite noix
- 600 mll'eau
- 660 grammes Farine, p.ex. B. Farine de blé entier ou d'épeautre ou mélangée; ou partiellement de grains entiers, partiellement moulu
- 120 grammes Farine de sarrasin, graines de lin ou flocons d'avoine, seuls ou mélangés
- 30 grammes sésame
- 50 grammes Graines de tournesol
- 3 cuillères à café, tricoter. sel
- ½ cuillère à café coriandre
- Du gras pour la forme
- Graines de sésame pour le moule

## PRÉPARATION

Dissoudre la levure dans l'eau puis ajouter tous les ingrédients à l'eau de levure. Utilisez un grand bol pour cela! Remuez avec une cuillère en bois ou une autre grande cuillère jusqu'à ce que tout soit mélangé.

Placer le bol dans un sac en plastique et laisser lever toute la nuit (environ 10 heures, plus est toujours possible).

Le lendemain matin, graissez un moule à pain et saupoudrez le fond et les côtés de graines de sésame. Mettez la pâte directement dans le moule sans pétrir, lissez-la et saupoudrez d'eau. Couper en travers et laisser lever à nouveau jusqu'à ce que le four soit chauffé à 250 ° C par convection.

Une fois la température atteinte, y glisser le pain et réduire la température à 200 ° C. Cuire au four pendant 45 à 50 minutes.

Après la cuisson, saupoudrez à nouveau le pain d'eau, cela lui donne une belle croûte. Il est également conseillé de placer un plat allant au four rempli d'eau dans le four pendant la cuisson.

# NON - GENOU - PAIN

Portions: 1

## INGRÉDIENTS

- 3 tasses / n      Farine
- 1 ½ tasse / n    l'eau
- ½ cuillère à café        Levure sèche
- 1 ½ cuillère à café      sel
- Farine, pour transformation

## PRÉPARATION

Mélangez la farine, la levure et le sel dans un bol. Ajoutez de l'eau. Mélangez le tout jusqu'à ce qu'une masse / pâte collante se forme. Cela prend environ 15 à 20 secondes. Ne pétrissez pas!

Couvrir le bol d'une serviette ou d'une pellicule plastique et laisser reposer environ 18 heures. Placez ensuite la pâte sur un plan de travail fariné. Farinez un peu vos mains et aplatissez doucement la pâte sur le plan de travail pour qu'elle soit à peu près rectangulaire, plate. Pliez la pâte une fois en travers et une fois dans le sens de la longueur. Ensuite, recouvrez la pâte avec la serviette et laissez reposer 15 minutes.

Maintenant, saupoudrez une autre serviette ou un panier de marche avec de la farine ou du son. Cela doit être fait assez généreusement pour que la pâte ne colle pas. Maintenant, façonnez grossièrement la pâte en une forme ronde et placez-la sur la serviette ou dans le panier de marche, saupoudrez à nouveau de farine, couvrez avec une autre serviette et laissez lever encore 2 heures.

Préchauffez le four à 250-260 degrés.

Le pain obtient sa meilleure croûte et forme lorsqu'il est cuit dans un pot en fonte ou en émail.

Préchauffez la casserole au four. Mettez la pâte de la serviette ou du panier ambulant dans la casserole et fermez le couvercle. Cuire au four 30 minutes avec le couvercle fermé. Ensuite, retirez le couvercle, réduisez la température à 220-230 ° et faites cuire encore 15 minutes.

Sortez le pain du four et laissez-le refroidir.

# AYRAN - PAIN

Portions: 1

## INGRÉDIENTS

- 400 grammes  Farine
- 250 ml Ayran ou babeurre
- 1 cuillère à café, entassée      sel
- 1 pincée (s)      du sucre
- Sésame, noir, à saupoudrer
- 1 paquet.      Levure sèche

## PRÉPARATION

Mélangez la farine avec la levure sèche, le sucre et le sel.
Ajoutez ensuite l'Ayran et mélangez jusqu'à ce qu'une bonne
pâte de levure se forme. Façonnez la pâte en une miche de
pain et saupoudrez de graines de sésame noir. Déposer sur
une plaque à pâtisserie préparée.

Cuire au four préchauffé à 200 ° C de haut / bas pendant environ 35 minutes.

# PAIN À L'OIGNON ET AUX HERBES STYLE FIEFHUSEN

Portions: 1

**INGRÉDIENTS**

Pour la pâte:

- 350 grammes  Farine de blé standard
- 1 sac    Levure sèche, (pour 500 g de farine)
- 250 ml L'eau tiède
- 1 cuillère à café de sucre
- ¼ cuillère à café     sel
- 1 cuillère à soupe     Herbes de Provence, séchées et hachées
- 4 cuillères à soupe     oignons rôtis
- 2 pincées de poivre noir moulu
- 3 cuillères à soupe     Huile d'olive, vierge, pressée à froid

Également:

- Œuf (s) battu pour le brossage
- n. Sel de mer, grossier, à saupoudrer
- n. B. Cumin noir, pour saupoudrer
- Sésame, entier

## PRÉPARATION

J'ai dérivé la recette d'une pâte à pizza que j'utilise également pour ma pizza aux légumes. Le pain réussit à 100%, sauf si vous oubliez réellement un ingrédient élémentaire ou une opération.

La farine est versée dans un grand bol à mélanger et un creux est fait au milieu. Mettez maintenant le sel, les herbes, les oignons frits et le poivre dans ce creux. En attendant, le sucre est dissous dans l'eau tiède. Ajoutez maintenant la levure sèche. Même si le sac de levure dit autre chose ("Pas besoin de mélanger"), veuillez ne pas omettre cette étape. Cela rend le pain particulièrement "moelleux". Dès que le mélange eau-sucre-levure montre une formation claire de bulles, versez-le dans le puits dans la farine. Maintenant, pétrissez soigneusement la pâte avec le batteur avec crochet pétrisseur jusqu'à ce qu'elle soit uniforme et se sépare clairement du bord du bol. Maintenant, versez l'huile d'olive dessus et pétrissez à nouveau soigneusement.

Couvrez maintenant le bol avec un chiffon et laissez lever dans un endroit chaud pendant une demi-heure.

Dès que la pâte a bien levé, saupoudrez d'abord un peu de farine par le haut (elle peut alors être manipulée plus facilement) et retirez-la du fond du bol à l'aide d'un grattoir et placez-la sur le plan de travail et aussi de la farine par le dessous. Façonnez la pâte en une miche de pain et placez-la sur une plaque à pâtisserie tapissée de papier sulfurisé. La pâte doit mesurer environ 3/4 de la largeur de la plaque à pâtisserie et environ 5 cm de hauteur. La largeur résulte alors automatiquement. Maintenant, utilisez une brosse à pâtisserie pour badigeonner complètement la miche de pain avec l'œuf battu. J'ajoute toujours du cumin noir et des graines de sésame et du gros sel de mer à l'œuf frais comme décoration.

Mais il n'y a pas de limite à l'imagination: graines de fenouil, cumin, carvi, graines de pavot, gros poivre ... comme je l'ai dit, il n'y a pas de limites au goût personnel.

Après la garniture, recouvrez la plaque de cuisson avec la miche de pain avec un torchon et laissez lever encore 10 minutes. En attendant, préchauffez le four à 200 degrés.

Maintenant, faites cuire le pain à 200 degrés pendant 40 minutes. Vérifiez le pain de temps en temps après une demi-heure. S'il est déjà un peu trop doré par le haut, protégez-le par le haut avec une feuille d'aluminium. Après 40 minutes, éteignez le four et laissez reposer le pain dans le four à refroidissement lent pendant 10 minutes. Fini.

# PAIN CHIA SWEETYS AUX CAROTTES

Portions: 1

## INGRÉDIENTS

- 500 grammes  farine de blé
- 500 grammes  la farine de seigle
- 1 paquet.         Levure sèche
- 300 grammes  Carotte
- 50 ml   huile d'olive
- 15 grammes     sel
- 1 cuillère à café         Mélange d'épices pour pain
- 6 cuillères à soupe     Graines de chia
- 700 ml l'eau

## PRÉPARATION

Préchauffer le four à 200 ° C d'air ventilé. Épluchez les carottes et râpez-les en fines lanières.

Pétrir une pâte à levure à partir des ingrédients spécifiés et couvrir et laisser lever dans un endroit chaud pendant 1 heure.

Pétrissez à nouveau brièvement la pâte, mettez la moitié de la pâte dans un moule à pain et faites cuire le pain pendant 1 heure, puis mettez l'autre moitié de la pâte dans la casserole et faites cuire pendant 1 heure également.

# PAIN DE BETTERAVE AUX HERBES FRAÎCHES

Portions: 1

## INGRÉDIENTS

- 250 g   Farine d'épeautre
- 10 g de levure, fraîche
- 0,33 cuillère à café     mon chéri
- 175 ml  Eau, tiède
- 50 g de graines de tournesol
- 10 g de graines de chia, éventuellement
- Betterave, pelée, env. 70 à 100 g
- 1 cuillère à soupe      Vinaigre de fruits
- 1 cuillère à café de sel
- 1 poignée d'herbes fraîches de votre choix

## PRÉPARATION

Mélangez la levure avec le miel, elle deviendra alors liquide. Mettez les ingrédients secs dans un bol et mélangez. Peler et râper grossièrement la betterave, laver et hacher finement les herbes (j'ai utilisé de la ciboulette, du romarin, du persil, du thym et de la sauge).

Ajouter la levure liquide, l'eau tiède et le vinaigre aux ingrédients secs et bien pétrir, idéalement avec le crochet pétrisseur du batteur à main. Pétrissez enfin la betterave et les herbes.

Tapisser un petit moule à pain de papier sulfurisé et y verser la pâte collante. Mettre au four froid et cuire à 200 ° C (chaleur de haut / bas) pendant environ 1 heure.

La recette est vraiment conçue pour un très petit pain et un petit moule à pain - le pain frais a meilleur goût et convient donc également aux mini-fours et aux ménages d'une personne. Les quantités peuvent facilement être doublées pour un moule à pain normal.

# PAIN FAIBLE EN SEL CUIT DANS UNE MACHINE DE CUISSON AUTOMATIQUE

Portions: 1

## INGRÉDIENTS

- 330 ml Eau, tiède
- 1 pincée          sel
- 1 pincée          du sucre
- 1 cuillère à soupe        huile
- 1 éclaboussure Vinaigre balsamique
- 250 g de farine de blé type 405
- 250 g de farine de blé entier, de blé, de seigle, d'épeautre ou similaire
- 5 g de levure sèche

## PRÉPARATION

Mettez tous les ingrédients dans la machine à pâtisserie dans l'ordre indiqué. Mise sur le BBA: grains entiers. Cela me prend environ 3,40 heures.

Pour l'huile et la farine, j'utilise toujours ce qui est là. Mais il est important que la moitié de la farine, soit 250 g, soit constituée de grains entiers. Quand j'utilise de la farine de seigle, j'utilise un peu plus d'eau, sinon le pain deviendra très sec.

## CONCLUSION

Le régime du pain est généralement considéré comme adapté à un usage quotidien. Parce qu'il n'y a pas de changements majeurs à faire. Cependant, les 5 repas par jour doivent être respectés pour que la combustion des graisses puisse être déclenchée. Par conséquent, le pronostic de l'endurance est également assez bon. Le régime pain peut être effectué pendant plusieurs semaines sans hésitation. La nécessité de compter les calories nécessite une planification minutieuse des repas. Cependant, le régime du pain n'est pas unilatéral - ne serait-ce que par le fait que le repas du midi est consommé normalement. Le régime pain est uniquement destiné aux utilisateurs qui peuvent prendre leur temps pour le petit-déjeuner et les autres repas. Parce que la nourriture doit être bien mâchée.

Ce qui est autorisé, ce qui est interdit

Il n'est pas permis d'étaler du beurre épais sur du pain pendant le régime de pain. Mais il vaut mieux se passer entièrement de beurre ou de margarine. La garniture ne doit pas non plus être trop épaisse. Une tranche de saucisse ou de fromage par pain doit suffire. Vous devez boire 2 à 3 litres pendant le régime pain, à savoir de l'eau, du thé ou des jus de fruits sans sucre.

## SPORT - NÉCESSAIRE?

L'exercice ou le sport régulier ne sont pas au centre d'un régime de pain. Mais ce n'est pas nuisible de faire le sport comme avant

Régimes similaires

Comme dans le régime chou, le chou ou dans le régime jus de fruits différents, le régime pain se concentre sur le pain alimentaire.

## COÛT DU RÉGIME

Il n'est pas nécessaire de s'attendre à des coûts supplémentaires par rapport à ceux consacrés à l'épicerie normale avec le régime pain. Le pain de blé entier coûte un peu plus cher que le pain de farine blanche. Mais les différences ne sont pas si grandes. Il n'est pas non plus nécessaire d'acheter des produits biologiques séparément. Tout comme pour les autres achats, il suffit de faire attention à la fraîcheur de la marchandise.

## CE QUI EST PERMIS, CE QUI EST INTERDIT

Il n'est pas permis d'étaler du beurre épais sur du pain pendant le régime de pain. Mais il vaut mieux se passer entièrement de beurre ou de margarine. La garniture ne doit pas non plus être trop épaisse. Une tranche de saucisse ou de fromage par pain doit suffire. Vous devez boire 2 à 3 litres pendant le régime pain, à savoir de l'eau, du thé ou des jus de fruits sans sucre.

La durée recommandée du régime pain est de quatre semaines. Mais il est également possible de l'étendre. Vous devriez perdre environ deux livres par semaine.

Les rations quotidiennes se composent de cinq repas. Celles-ci doivent également être respectées afin d'éviter les sentiments de faim.

De plus, l'organisme peut utiliser les précieux nutriments de cette manière de manière optimale. Il est également important de boire beaucoup.

Grâce à l'approvisionnement alimentaire équilibré du pain, le régime alimentaire peut, avec des calories appropriées à proximité, même pour toute la famille à effectuer. En même temps, il présente également l'avantage que les travailleurs peuvent également l'utiliser facilement; la plupart des repas peuvent être préparés puis emportés.

Si cela est fait de manière cohérente, une perte de poids de 2 à 3 livres par semaine peut être obtenue. Au final, le régime pain vise à changer le régime alimentaire vers les fruits et légumes et les glucides sains et loin de la viande et des graisses. La quantité élevée de fibres conduit à une sensation de satiété durable.

Lightning Source UK Ltd.
Milton Keynes UK
UKHW050737280521
384463UK00001BA/156

9 781802 882971